Procès ivre

ŒUVRES DE BERNARD-MARIE KOLTÈS

LA FUITE À CHEVAL TRÈS LOIN DANS LA VILLE, *roman,* 1984.
QUAI OUEST, *théâtre,* 1985.
DANS LA SOLITUDE DES CHAMPS DE COTON, 1986.
LE CONTE D'HIVER (*traduction de la pièce de William Shakespeare*), 1988.
LA NUIT JUSTE AVANT LES FORÊTS, 1988.
LE RETOUR AU DÉSERT, *théâtre,* 1988.
COMBAT DE NÈGRE ET DE CHIENS, *théâtre,* 1983-1989.
ROBERTO ZUCCO, *suivi de* TABATABA, *théâtre,* 1990.
PROLOGUE, 1991.
SALLINGER, *théâtre,* 1995.
LES AMERTUMES, *théâtre,* 1998.
L'HÉRITAGE, *théâtre,* 1998.
UNE PART DE MA VIE. Entretiens (1983-1989), 1999.

BERNARD-MARIE KOLTÈS

Procès ivre

LES ÉDITIONS DE MINUIT

© 2001 by LES ÉDITIONS DE MINUIT
7, rue Bernard-Palissy, 75006 Paris

En application de la loi du 11 mars 1957, il est interdit de reproduire
intégralement ou partiellement le présent ouvrage sans autorisation de l'éditeur
ou du Centre français d'exploitation du droit de copie,
20, rue des Grands-Augustins, 75006 Paris

ISBN 2-7073-1753-5

Très marqué par Dostoïevski dont, à cette époque, il lit *Les Frères Karamazov* et *Souvenirs de la maison des morts*, Bernard-Marie Koltès écrit *Procès ivre* en 1971, qu'il met en scène à Strasbourg avec le *Théâtre du Quai*.

PERSONNAGES

RODION ROMANOVITCH RASKOLNIKOV, *assassin*
MARMÉLADOV, *alcoolique*
PORPHYRE, *officier de police*
SVIDRIGAILOV, *débauché*
LA MARMÉLADOVA, *seconde épouse de Marmé-
ladov*
LA RASKOLNIKOVA, *mère de Rodion*
RAZOUMIHINE, *passant solitaire*
DOUNIA, *sœur de Rodion*
SONIA, *fille de Marméladov*
ALIONA, *cadavre de vieille femme assassinée*

Lumière, faible.
Les bruits de la ville. Dialogue.
Chansons. Exclamations. La chaleur.

Rodion. Il avance, lentement en s'arrêtant à chaque fois que quelque chose se distingue de la rumeur générale.

UN HOMME. – Cette boue – quelle saleté – qui colle aux bottes. Et partout, partout.

UNE FEMME. – On aurait pu planter des arbres. Et installer des jardins avec des jets d'eau, là, ou à l'emplacement du Marché au Foin.

Ailleurs.

UNE FEMME. – Je sens le vin. Moi, le vin. Et toi qui pues l'alcool dès le saut du lit. D'ailleurs, tout ici pue l'alcool. Même les murs. Même les enfants... Et c'est bon. Mieux vaut cela qu'autre chose...

Un homme. – La sale bête. La sale bête. Arrêtez-le. Mitka, Mitka, viens un peu ici. Mitka. Va au diable.

Le bruit continue, moins précis.

Il avance. S'arrête. Relève son col, enfonce le plus possible les mains dans ses manches. Repart au hasard, et butte contre l'escalier d'Aliona, avant de l'avoir vu. En haut de l'escalier, la silhouette d'une femme assise dans un fauteuil, tournant le dos.

Un temps. Puis il monte. Arrivé derrière un fauteuil, un temps. Puis l'obscurité. Les bruits ont baissé, et ne parviennent qu'assourdis.

Rodion, *tout bas.* – Aliona, Aliona, n'ayez pas peur. C'est moi. Je suis une vieille connaissance. Eh bien, Aliona Ivanovna. Ne soyez pas ridicule. Je vous apporte ce que je vous avais promis l'autre jour. Oui, je suis resté longtemps sans donner de nouvelles. Mais à présent, me voici. (*Temps.*) Oui, c'est moi. Ne me regardez pas comme cela. On dirait que vous ne me reconnaissez pas. Tenez, voilà l'objet. Je l'ai bien emballé, pour plus de sûreté. Il est lourd, on sent tout de suite que c'est du solide. Je

suis sûr que vous m'en donnerez un bon prix.
(*Temps.*) Venez à la lumière. Vous déferez les
ficelles plus facilement. Là, près de la fenêtre.
(*Temps.*) Mes mains tremblent. Bien sûr, j'ai la
fièvre. Mais regardez. Qu'attendez-vous ?
Regardez.

*Silence brutal, en même temps que la lumière
violente de la lune sur Rodion. Il est debout
dans une attitude comme suspendue. Devant lui,
le corps tombe, lentement, par secousses, et
comme en se repliant sur lui-même, puis roule
du fauteuil à terre, jusqu'à disparaître.*

A nouveau, l'obscurité, presque complète.
*De petits rires sortent de partout. On aperçoit
la silhouette de Rodion, tremblant violemment
du haut en bas, qui se redresse pour fuir, lentement, difficilement, dans l'ombre, tandis que les
rires deviennent de plus en plus forts.*

*Un rire fait taire brusquement tous les autres :
celui de Marméladov. On le voit assis, buvant,
et tenant dans sa main gauche une bouteille
retournée. Il s'arrête, pose son verre, et, très fort :*

MARMÉLADOV. – Une demi-bouteille. Une
pauvre demi-bouteille. A peine de place entre

le fond et le goulot. Une demi-bouteille, et l'on voudrait que j'aie trouvé la joie au fond de cette misérable demi-bouteille. (*Il se remet progressivement à rire.*) Mais c'est la douleur que je cherche, les larmes et la douleur. Et une demi-bouteille ne risque pas de suffire. (*Il rit très fort, en tendant la bouteille vide et le verre.*)

La Marméladova apparaît, droite, assise sur un immense fauteuil, doigt tendu.

LA MARMÉLADOVA. – Marméladov, ton uniforme. Tes bottes, tes gants, ton chapeau, Marméladov. (*Marméladov disparaît.*) Siméon Zaharytch, Siméon Marméladov. Mon noble, mon fier Siméon Zaharytch Marméladov. (*Temps.*) Il aime la bouteille – taisez-vous, écoutez-moi. Il aime la bouteille ; il aime bien sortir de chez lui, le soir, pour pousser les portes des cafés : le bruit, la chaleur, la bouteille, il aime cela. Mais c'est normal – taisez-vous, c'est bien normal pour un homme comme lui – écoutez-moi. Un homme comme Siméon Zaharytch Marléladov ne peut pas se plaire ici ; c'est normal, c'est bien normal. Ecoutez-moi, écoutez-moi bien. Il travaille. Il est fonctionnaire. Il rentre fatigué le soir du bureau, et il fait un tel froid dans cette maison, et il y a tant de bruit dans cette maison. Tous les locataires qui font tant de bruit. Vos cris, Amalia Ludwigovna, sont insupportables. – Taisez-vous, taisez-vous donc. – Siméon Zaharytch ne parle, d'ailleurs, que devant un verre. Et il parle si bien. Tous les gens qui se taisent, autour de lui, – écoutez-moi –, taisez-vous – tous les gens qui écoutent, quand Siméon se met à parler. Parfois aussi, il préfère rester ici ; il se couche et je lui apporte du café que j'ai fait chauffer avec de la crème ; de la vraie crème, – vous entendez ? Il est couché, et il boit son café avec de la crème, et ensuite Siméon Zaharytch s'endort, et nous nous arrêtons, nous arrêtons tout, et taisez-vous, taisez-vous, Siméon Zaharytch Marméladov dort. Il dort. (*Un temps.*) Sonia. Cessez de me parler de Sonia... Le cœur de Sonia, son cœur, vous n'y songez jamais, n'est-ce pas, vous n'y avez jamais songé. La connaissez-vous, seulement. Elle donne tout ce qu'elle a, tout ce qu'elle avait, elle l'a donné, à nous, à nous tous, à son père surtout, qu'elle aime alors qu'elle ne s'aime pas – elle ne s'aime pas, vous entendez ? Elle ne s'aime pas. C'est pour lui qu'elle s'est vendue – vous entendez ? Pour lui seul. Pour ce noceur sans répit et sans honte, qui n'a même pas l'idée de la reconnaissance, elle a tout sacrifié, vous entendez ? Vous entendez ? Tout sacrifié, et sans rien dire, sans se plaindre une seule fois – vous entendez ? Ecoutez, écoutez bien. Jamais elle ne s'est plainte. Pas même le premier soir où je lui tenais les genoux en pleurant comme une idiote, et que je lui demandais sans arrêt de nous pardonner, et qu'elle regardait devant elle, blanche, sans rien dire, et qu'elle avait posé l'argent sur la table, sans un mot, toute blanche, sur la table, en plein sur le milieu de la table.

Lumière générale. Sonia dans sa chambre. Dounia écrit. Razoumihine marche.

Rodion est assis sur le fauteuil. Position stable. Il lit la lettre de Dounia.

SONIA. – Un, deux, trois, quatre, cinq... six. C'est trop. Un de trop. Deux. Quatre, c'est le bon chiffre. Après, cela devient fatigant, trop fatigant. Jusque-là ça va. Toujours un peu de fatigue, au début, surtout, mais après, cela passe. La surprise n'a pas été bien grande, sans bouleversement remarquable. En fait, la surprise, c'est l'argent. L'argent qui vient, si facilement, sans un effort particulier. L'habitude à prendre, et l'argent qui vient, régulièrement, sans effort, vraiment, sans effort particulier. Pas de surprise, pas d'excès en rien. Plus de manque insupportable. De l'argent, régulièrement, une habitude à prendre, une fatigue raisonnable, mesurée, raisonnable, presque douce.

DOUNIA, *écrivant*. – Je n'en puis plus. La situation est devenue insupportable. Je ne voulais pas t'écrire, mon frère chéri, je ne voulais pas que tu saches. Rodion bien-aimé. Mais à présent, je ne peux plus, je ne peux plus me taire. Ecoute ce que je te dis, parce que je ne peux pas ne pas te le dire, écoute-le, puis oublie-le bien vite, brûle la lettre et oublie tout, ne t'embarrasse pas de moi, Rodion, Rodion... L'homme chez qui je travaille, Arcade Ivanovitch Svidrigailov, me poursuit, depuis des jours, depuis des nuits, partout où je vais, où que je me cache. Il est vieux, vert, des yeux immobiles, des yeux comme dessinés sur son visage ; et qui ne bougent jamais. Je ne le supporte pas. Non, je ne peux pas le regarder, ni le sentir à côté de moi.

Il me traque, dès le matin, au sortir de ma chambre, me barre le passage, à l'entrée du couloir, ouvre brusquement les portes, surgit sans un bruit de l'épaisseur des murs. Il est

17

partout où je vais, tout le jour, tout le jour, et toujours derrière moi, jusqu'à la nuit tombante où je l'entends encore derrière ma porte, respirer et regarder avec un regard immobile. Je ne peux pas m'en aller. Cela fait longtemps que je serais partie, mais je ne peux pas m'en aller. Je lui dois de l'argent, je dois beaucoup d'argent à sa femme et à lui, et je ne peux pas partir. Je suis obligée de rester là. Je le sens toujours plus près. Et ses mains plus près. Et ses yeux plus près, Rodion. Et je ne peux pas partir ; je ne peux pas partir, Rodion, Rodion.

RODION. – La route devant moi. Je sens la route, immense, démesurée, qui me tend les bras, et qui m'attire comme l'eau des lèvres sèches. Immense, ouverte, sans ciel et sans horizon, vide, large, vide et aspirante.

DOUNIA. – Je n'en puis plus. Nous n'en pouvons plus, ta mère et moi. Nous sommes seules, seules. J'ai peur.

RODION. – Je me laisse avancer, aveugle, les bras inertes, avec le corps qui tire, et qui traîne tout le reste après lui.

DOUNIA. – Et cette dette qui nous retient, et dont je ne viendrai jamais à bout.

RODION. – Le vent qui frappe le visage. L'air, l'air frais. Le silence.

18

DOUNIA. – Mon frère chéri, nous ne savons plus que faire, ta mère et moi.

RODION. – Partir, et tout laisser là.

DOUNIA. – Nous sommes perdues.

RODION. – Le sang, qui cogne les tempes.

DOUNIA. – Perdues.

RODION. – Le sang.

(Temps.)

DOUNIA. – A présent, cela va mieux. Oublie ce que je t'ai écrit. Aime-moi autant que je t'aime, et à bientôt.

SONIA. – Cela ne dure jamais bien long-temps. Ce n'est pas une vie normale. On se fatigue. On veut en prendre de moins en moins. On gagne moins d'argent. On en reprend plus, et n'importe qui. Et l'on se fatigue davantage. Et cela continue. *(Temps. Rires.)* Regarde, Catherine Marméladova. Regarde-moi de haut en bas. Je te suffis, à toi, à toi, je suffis à tes enfants sales et pouilleux, à ton mari qui pue le vin, à toi-même qui pue la mort. Mais crois-tu, Catherine Marméla-dova, toi, et tes enfants, et vos ventres ouverts qui appellent, croyez-vous suffire, vous, à Sonia Marméladova, croyez-vous suffire à Sonia, la plus jeune, la plus fraîche, la plus innocente des putains... (*rire*). Sonia en veut plus. Sonia en veut plus. Sonia veut tout.

RAZOUMIHINE. – Attends. Reste un peu encore. Tu ne m'as pas écouté. Tu restes froid, muré dans ton silence. Et tu me regardes, tout de glace. Je ne peux pas supporter cela.

C'est par ta faute. Ta faute uniquement. Cela fait des heures maintenant que je te parle et tu ne veux rien entendre. Tu te crois fort. Tu préfères te taire, et regarder sans rien laisser passer sur ton visage, tu crois pouvoir jouer à t'abriter derrière une porte. Mais c'est parce que tu as peur. (*Temps.*) Je t'ai proposé quelque chose. Réponds-moi. Evidemment, cela n'a rien d'extraordinaire. Mais c'est un travail normal, modeste, qui te permettra de vivre, et de sortir surtout de chez toi, de sortir, pour voir. Regarde, mais regarde donc. Quel point de comparaison as-tu ? Quel point de comparaison as-tu jamais eu ?

Tu es solitaire et nul. Orgueilleux à en crever, et proprement inexistant.

RODION. – Arrête un peu de parler. Tu es bavard. Je ne te comprends pas.

RAZOUMIHINE. – J'ai un peu d'argent, que l'on peut partager. De quoi commencer à travailler, de quoi manger au moins les premiers jours.

RODION. – Tu es bavard et généreux. Tu m'enveloppes dans tes mots. Je te sens partout, tout autour de moi, si bon, si envahissant, si fatigant.

RAZOUMIHINE. – Je t'attends, chez moi, pour te donner les adresses dont je t'ai parlé. Je t'attendrai ce soir, et demain encore, toute la journée.

SONIA. – Ce sont les plus bas d'entre nous que le Christ viendra sauver. Les plus bas et les plus infidèles. Lui seul sait pourquoi je fais le péché. Lui seul sait tout l'amour que j'ai eu. Le Christ, la vie, ma vie, mon unique espoir, mon seul espoir nécessaire, nécessaire.

RAZOUMIHINE. – Cette certitude... cette impression sûre que j'ai de savoir, de connaître le secret, la combinaison secrète et simple qui ouvrira tout. Tout est beaucoup plus simple. Il suffirait que tu écoutes, que tu acceptes de m'entendre. Ce que tu prends pour une étendue chaotique et furieuse n'est qu'un brouillard léger sur un paysage simple, calme, simple et lumineux.

Tu marches en plein jour, sur un sentier régulier, tranquille, rugueux comme une main de paysan, fréquenté avant toi et encore derrière toi ; et tu fermes les yeux, et tu titubes, et tu cries qu'il fait nuit, et tu parles de marais, de désert, de séracs. (*Temps.*) Et puis va te faire foutre. (*Rire sourd de Rodion.*) Tu es l'image même de l'imbécillité aveugle et du délire.

DOUNIA. – Te voici donc condamnée, Dounia, à ne jamais vivre, à n'exister que pour la vie des autres. (*Fin du rire de Rodion. Temps pendant lequel Dounia marche, de long en large, très vite, puis :*) Le choix simple. Le devoir, le devoir brûlant. La force à trouver, et l'amour qui m'aspire, qui m'enlève, qui me porte...

RODION, *à Razou.* – Va-t'en. Hors de chez moi. Je ne veux plus te voir.

RAZOUMIHINE. – Je ne fais rien. Je ne dis rien.

RODION. – Qu'as-tu à rôder sans cesse autour de moi ? Pourquoi me poursuis-tu ? Pourquoi t'accroches-tu ? Sors. Sors de chez moi.

RAZOUMIHINE. – Je me tais. Je ne te poursuis pas. Je ne te regarde même pas.

RODION. – On dirait que tu m'attends ; que tu me guettes. Qu'attends-tu de moi ? Qu'espères-tu ?

RAZOUMIHINE. – Rien. Non, vraiment, rien, rien du tout.

RODION. – Tu es naïf. Naïf et inconscient. Si tu savais...

RAZOUMIHINE. – Je ne veux pas savoir. Je ne veux rien savoir.

RODION. – Je ne te comprends pas. Je ne peux pas comprendre. Je te dis que si tu savais...

RAZOUMIHINE. – Imbécile.

Rodion est en bas. On aperçoit à nouveau la silhouette d'Aliona sur le fauteuil en haut des marches.

Dounia écrit. La Raskolnikova est assise sur un tabouret.

DOUNIA. – Oui, mon frère bien-aimé. J'ai enfin une bonne nouvelle à t'annoncer. C'est arrivé sans qu'on s'y attende, il y a peu de jours, et je tremble de bonheur en t'écrivant ces mots.

RASKOLNIKOVA. – Ta sœur va se marier. Oui, Rodion chéri, Dounia va se marier.

DOUNIA. – Il m'a fait sa demande, l'autre soir, alors que nous l'avions invité à boire le thé.

RASKOLNIKOVA. – Il a quarante ans, bien sûr, mais encore très bien encore, et je crois qu'il plaît à ta sœur.

DOUNIA. – Il me rendra heureuse.

RASKOLNIKOVA. – Il est avocat, déjà lancé dans les affaires. Sa situation est des meilleures, a-t-il dit ; c'est une assurance pour Dounia.

DOUNIA. – Il revient, demain soir, boire le thé, et fixer l'organisation des formalités. Il m'a déjà offert la bague de fiançailles.

RASKOLNIKOVA. – Je crois que pour nous tous, c'est la providence, et un peu de repos pour la fin de mes jours.

DOUNIA. – Après le mariage, il m'emmènera à Saint-Pétersbourg, et j'aurai enfin la joie de te revoir, mon cher, cher Rodion. (*Temps.*) J'espère que tu te réjouis de me savoir heureuse.

RODION. – Dounia.

DOUNIA. – Pardonne-moi de ne pas t'avoir averti plus tôt.

RODION. – Tu es folle, tout à fait folle.

DOUNIA. – Tout s'est décidé si rapidement.

RODION. – Le sacrifice...

DOUNIA. – Je termine ma lettre...

RODION. – Le grand sacrifice. L'abnégation. Le dévouement sans limite. Le désir de s'oublier pour l'amour de Rodion. Le plaisir de tomber à genoux, devant l'icône, les bras en croix, et de dire : « Jésus, je me cloue à votre croix, avec vous, pour l'amour de mon frère bien-aimé », et quelle croix ! La jouissance de sentir sa vie échangée contre la vie d'un autre, sans raison, pour le plaisir.

RASKOLNIKOVA, *bas*. – Tais-toi.

On ne voit plus que Rodion et la Raskolnikova.

RODION. – Dounia chérie, je ne veux pas...

RASKOLNIKOVA, *bas*. – J'ai dit : tais-toi.

RODION. – Dounia, mère, mère, j'ai peur. J'ai peur. Je ne peux pas supporter de vous voir. Partez. Partez. (*Temps.*) Sortez de ma tête. Je n'ai rien demandé. Je n'ai rien voulu. C'est vous qui êtes là, et restez de force. Partez. Partez. Je ne veux pas...

RASKOLNIKOVA, *bas*. – Petit imbécile. De quel droit ? Quelle espèce de droit as-tu sur nous et sur toi-même ? Regarde. Regarde. Je suis là, devant toi, et je reste. (*Temps.*)

RODION. – J'ai franchi la limite ; j'ai passé l'obstacle. Le minuscule obstacle qui ouvre l'espace infini. J'ai poussé du pied le tronc sur le chemin. J'ai délié la bourse...

RASKOLNIKOVA, *bas*. – Il me semble t'avoir dit de te taire.

RODION. – La vieille Aliona Ivanovna est morte. La mouche est écrasée, et l'on peut à nouveau respirer. Mère, Dounia, l'argent profané d'Aliona Ivanovna coule à présent sur nous.

RASKOLNIKOVA, *fort.* – Rodion, Rodion chéri. Mon fils. Je n'ai que toi. Tout mon espoir, ma seule raison de vivre est en toi. Si tu savais tout ce que je voudrais te dire. Si tu savais tout ce que contient mon cœur, et qui t'appartient, et qui se déchire. Et je me déchire vers toi, Rodion. Et je n'arrive pas à te parler tant je suis pleine de toi, et c'est toi qui me sors par la bouche, et c'est toi que je respire, et c'est toi...

RODION. – On aurait dû installer des jardins, et des jets d'eau, sur la place du Marché au Foin. La ville est oppressée. Plus d'air, plus d'air...

RASKOLNIKOVA. – Et Dounia, et ta sœur, qui t'aime jusqu'à la mort, qui ne pense qu'à toi, jour et nuit, qui veille en tournant dans sa tête tous ses espoirs, tous les projets qu'elle fait pour toi.

RODION, *il se lève.* – J'ai froid.

RASKOLNIKOVA. – Je suis sûre de toi. Ma confiance en toi est entière.

RODION, *il refait tout le trajet du crime et parle très bas.* – L'odeur. L'odeur de la lune. Et le silence de la lune. Le silence, surtout, qui accompagne toujours la lune.

Le silence me brûlait le crâne, il pesait sur mes yeux et me portait, en aveugle, sans effort, tout au long de la route, jusqu'à l'escalier. L'escalier empli d'odeur, de l'odeur âpre et sombre de la lune, long, long, avec l'odeur qui me pénétrait la peau à mesure que je montais, jusqu'à imprégner tout le corps, et les os, et les mains, et les mains. La porte. La porte d'Aliona Ivanovna, couverte de la lumière humide de la lune, qui me coulait sur le visage, avec douceur, et sur les bras, et sur les reins et sur les jambes.

RASKOLNIKOVA. – Il est impossible que l'on ne voie pas que tu es plein de force, de courage, de talent.

RODION. – Le sang qui coulait, qui a éclaté du crâne, cassé comme une porcelaine. Il coulait, imbibant le tapis plein comme une éponge, montant le long des murs, remplissant mes chaussures, grimpant sur les rideaux, s'accrochant à mes cheveux.

RASKOLNIKOVA. – Et je vois dans tes yeux un espace brûlant et tumultueux que je ne comprends pas, mais qui m'exalte, qui me soûle.

RODION. – Le mouvement, l'agitation, le long frémissement de l'immense corps d'Aliona se vidant de son sang, tout à l'heure immobile, et clos, et froid dans son fauteuil.

Il est en haut. Le corps de la vieille Aliona tombe, en riant, par saccades.

RASKOLNIKOVA, *très lentement, très silencieusement.* – Je ne dirai jamais plus que je t'aime ; je sais que cela te fatigue. Je veux rester là, à t'aimer, silencieusement, sans rien attendre, jusqu'à la mort.

(Temps.)

RODION, *bas.* – Eteignez les lumières. Les projecteurs. Vite. Vite. Eteignez... je ne peux plus... je ne peux plus... *(Temps. Crié.)* Moins de lumière, nom de Dieu, éteignez ces projecteurs.

Lumière sur Marméladov, et la Marméladova, debout, lui tournant le dos.

MARMÉLADOV. – Non. Non, ne me regardez pas comme cela. Catherine Ivanovna. Ne me regardez pas comme cela. Je n'aime pas le bruit de votre respiration. Vous savez bien que je ne supporte pas de vous sentir malade. Mais vous le faites exprès. Les tâches rouges sur vos joues, les yeux brillants, non, je ne peux pas voir cela. Je suis un porc, et je ne laisserai personne dire que je suis autre chose qu'un porc. Mais, tu vois, je te demande pardon, je te demande humblement pardon. Tu peux me dire ce que tu veux, tu peux faire ce que tu veux, me battre, me tirer par les cheveux, je ne te dirai rien, je te jure que je ne dirai pas un mot. Ne me regardez pas comme cela sans rien dire, sans rien faire. Catherine Ivanovna, là où je t'aime le plus, c'est lorsque je rentre, ivre, et que tu attends, depuis des heures, en marchant de long en large dans la chambre, et que tu m'attrapes par le cou, sur le pas de la porte, et que tu me secoues en hurlant, et que je tombe à tes genoux. Bats-moi, Catherine Ivanovna, frappe-moi, plus fort, plus fort. Je suis un porc, je l'ai mérité mille fois. Frappe plus fort, encore, encore, je suis à tes pieds, à terre, je te supplie de me pardonner, plus fort, plus fort, je suis un porc, pitié, plus fort, je me traîne à tes genoux, regarde-moi, regarde-moi, crie, frappe, frappe, je l'ai mérité, je l'ai mille fois mérité.

Rodion et Razoumihine.

RODION. – Non, tu n'aurais jamais dû venir. Je t'avais dit de ne jamais plus venir. Sors, il est encore temps. (*Temps.*) Fous le camp. Fous

le camp. Dépêche-toi, bon Dieu ! (*Temps.*)
Razoumihine, mon ami Razoumihine, mouche
ignorante et vaniteuse, qui glisse, qui glisse sur
tout sans rien toucher, en effleurant juste du
bout des doigts, et qui croit tout comprendre,
tout savoir. Tu passes, dans les ténèbres, tu
planes, tu planes au-dessus de l'abîme, tu voles,
tu glisses, tu glisses.

Ton regard que je ne supporte pas, que je ne
peux plus supporter. Il est calme, et tranquille,
et souriant, et certain de pouvoir tout regarder
sans être altéré, sans bouger, sans bouger. Il
s'arrête là, à deux pas devant toi, et cela tu ne
le sais pas, tu ne peux pas le savoir. Tu crois
voir les mêmes choses que moi, tu regardes les
mêmes choses que moi, et tu te réjouis de ton
calme, et tu te réjouis de ma peur. Mais c'est la
distance de nos regards qui n'est pas la même.
Nous ne verrons jamais à la même distance, toi
et moi. Nous n'avons rien de commun, toi et
moi. (*Temps.*) Le sang. Tu le vois, le sang. Tu
ne vois rien, non, tu ne peux rien voir. Mais il
y en a partout, du sang, partout ici, et sur moi,
dans mes chaussures, sur mes vêtements, dans
mes cheveux, et sur toi. Tu ne vois rien. Tu ne
le vois pas, tu ne vois rien.

RAZOUMIHINE. – De quoi parles-tu ? De
quoi parles-tu ?

RODION. – Rien de commun. Plus rien de commun entre toi et moi. Entre toi et moi, maintenant, il y a le sang, du sang que je vois, et que tu ne vois pas.

RAZOUMIHINE. – Tais-toi.

Lumière sur Marméladov. Rire de Marméladov.

RODION. – Qu'est-ce que tu attends, à présent ? Va-t'en, va-t'en, je t'en supplie, je te le demande, mon ami, Razoumihine, je t'en prie, je t'en supplie.

Rire de Marméladov.

RAZOUMIHINE. – Qu'est-ce que tu fais ? Qu'est-ce que tu fais ? (*Rire de Marméladov.*) Rodion ! Rodion ! (*Marméladov et Razoumihine, seuls.*) Tu mens. Je sais bien que tu mens. Je suis sûr de te connaître. Je déteste la forme inconnue que tu enfiles devant moi comme un gant. Je ne sais ce qu'il faudrait... Il faut que tu sortes de chez toi. C'est parce que tu vis enfermé dans ta chambre, sale et couvert de vermine. C'est la vermine qui fait tout. Il faut... Oui, c'est la vermine qui fait tout cela. Rodion.

MARMÉLADOV. – C'est clair. Tout est clair.

Cette bouteille a le pouvoir évident de tout éclaircir, toujours plus fortement, toujours plus inévitablement.

RAZOUMIHINE. – J'ai tant de tendresse pour toi, Rodion. Tu t'échappes, chaque fois, de mes mains qui te cherchent, et tu attires à chaque fois plus de tendresse, et chaque fois plus profonde, et chaque fois plus déchirante.

MARMÉLADOV. – Question : j'ai soif. Je sais que le patron ne me paiera pas une autre bouteille. Je lui demande quand même. Et justement à lui. Pourquoi ?

RAZOUMIHINE. – Rodion...

MARMÉLADOV. – Réponse : mais voyons, pourquoi ne lui demanderais-je pas, justement à lui ? Où voulez-vous que j'aille ? Où voulez-vous que j'aille ?

RODION. – La paix. La paix. Je suis fatigué. Du silence. De l'ombre. Je veux dormir. Dormir.

MARMÉLADOV. – La belle, la tendre, la brûlante Marméladova, qui m'a épousé, moi, oui, oui, moi. En pleurant, en se tordant les mains – elle avait les yeux gonflés, et elle ne s'était pas lavé les cheveux en signe de deuil – mais elle m'a épousé quand même. Où vouliez-vous qu'elle aille ? Où vouliez-vous donc qu'elle aille ?

Lumière sur la Raskolnikova, seule, assise.

RASKOLNIKOVA. – Je ne veux pas parler. Je ne veux pas parler. Les mots sortent de ma bouche malgré moi. Je n'y peux rien. Ils filent à travers ma gorge sans que je puisse les arrêter. Je parle, je parle ; et je ne veux rien dire. Je vous dis que ces mots ne sont pas de moi. Je ne sais pas d'où ils viennent ni comment ils sont là ; ils me sortent par la bouche sans que je puisse rien faire. Je ne peux rien faire. Je parle ; je parle, et je ne veux pas parler, et je ne peux rien faire ; je ne peux pas les arrêter ; ils sortent de ma bouche ; ils ne sont pas de moi. N'écoutez pas, ce n'est pas vrai, ne m'écoutez pas ; ces mots ne sont pas de moi ; je ne les connais pas, ma bouche parle malgré moi ; les mots filent devant moi avant que j'aie pu les arrêter ; ils m'entraînent, et je ne peux rien faire, je ne les reconnais pas, ils sortent malgré moi, ils filent devant moi, ils filent...

Lumière sur Dounia et la Raskolnikova arrivant à la rencontre de Rodion immobile. Plus loin, Marméladov.

DOUNIA. – C'est lui ; c'est toi, c'est toi ; Rodion, mon frère bien-aimé.

RASKOLNIKOVA. – J'en étais sûre ; j'étais sûre de te reconnaître tout de suite, Rodion, je te reconnais bien. Laisse-moi te serrer contre moi, contre ta mère, Rodion, laisse ta mère te prendre contre elle.

Elles murmurent tout près de Rodion, tandis que l'on entend Marméladov.

DOUNIA. – Le voyage a été long. Un paysan nous a conduits du village à la gare dans sa charrette couverte. Et nous avons terminé le trajet en chemin de fer, très confortablement, en troisième classe.

RASKOLNIKOVA. – C'est le futur mari de ta sœur qui s'est chargé de prendre les places, et de tout organiser. Nous pensions qu'il nous attendrait à la gare, à notre arrivée, mais sans doute avait-il beaucoup à faire. C'est un homme très occupé, Rodion, très occupé. Et tu vois, nous sommes là, nous avons quand même réussi à nous guider dans cette ville, immense et qui me fait peur. N'as-tu jamais peur, toi ? Non, tu dois être habitué. Et cette chaleur. Mais à présent, je suis près de toi, tu es là, et je ne suis pas près de te laisser.

DOUNIA. – Tant de temps. Tant de temps a

passé depuis la dernière fois. Et tu n'as pas changé. Non, je te reconnais bien.

MARMÉLADOV, *en même temps*. – Nous nous sommes aimés, hier soir, la Marméladova et moi, comme jamais nous ne nous étions aimés. Et ne cherchez pas à imaginer à quel point, vous en êtes incapables. Nous étions tous deux ivres, égarés comme en pleine nuit, avec de la tendresse plein la tête et plein les membres. Non, non, j'ai dit que vous étiez tout à fait incapables d'imaginer. J'étais venu deux heures avant, annoncer que j'avais trouvé une place de fonctionnaire, et que l'argent viendrait maintenant régulièrement. Tout de suite, Catherine Marméladova est devenue folle, et grande, et belle, et elle a commencé à briller et à se déverser sur moi comme de l'eau, et je suis à mon tour devenu fou, et c'est comme si nous avions bu pendant des heures, que nous avions fait des projets, des serments, des plans que nous entassions pêle-mêle dans nos têtes, et c'est en titubant que la Marméladova m'a ôté l'uniforme, et que nous l'avons plié pendant une heure entière, et que nous l'avons posé sur la chaise avec plus de douceur et d'amour qu'un enfant dans son berceau. L'uniforme, Marméladova. Hier soir, l'uniforme.

La Raskolnikova et Marméladov, ensemble.

RASKOLNIKOVA. – Je ne te quitterai plus, maintenant. Non, je logerai ici, tu me trouveras bien une petite place dans ta chambre, je n'irai pas dans le logement que ton fiancé nous a réservé, il est sale et je logerai ici, avec toi.

MARMÉLADOV, *riant*. – Il y a deux heures que l'uniforme est vendu, et la place perdue avec. La Marméladova à présent court de long en large dans la chambre, maigre et frémissante, en s'arrachant les cheveux. L'uniforme, il est là-dedans, dans cette bouteille, oui, oui, dans cette bouteille.

RODION. – Cela suffit, maintenant. Allez-vous-en. Oui, partez, partez. Demain.

RASKOLNIKOVA. – Mais qu'as-tu ? On te fatigue, oui, oui, notre bavardage te fatigue. (*Temps.*) Rodion, Rodion chéri, regarde-moi.

RODION. – Quelles gueules... Peut-être est-ce l'éclairage...

RASKOLNIKOVA. – Rodion.

RODION. – Ou la fatigue du voyage, la poussière du train...

DOUNIA. – Rodion.

RODION. – Mais vos gueules ont une drôle de couleur.

RASKOLNIKOVA. – Rodion, qu'as-tu ? Tout

ce voyage... tant de fatigue... te voir... Rodion, je ne comprends pas, je ne comprends pas.

DOUNIA. – Demain. C'est cela, demain. Il n'y a rien à comprendre, mère. Demain, oui, je crois bien que demain cela ira mieux.

Marméladov, et Rodion, qui le regarde.

MARMÉLADOV. – La logique. La logique supérieure, irréfutable. C'est clair, oui, oui, tout est clair. Premièrement Catherine Marméladova est belle. Deuxièmement, je suis un porc. Troisièmement, plus je bois, plus je suis un porc pour Catherine Marméladova qui, cinquièmement, est chaque fois plus belle au fur et à mesure que je bois. Non, non, ce n'est pas cela ; c'est encore plus complexe que cela. Logique supérieure, supérieure et inaccessible aux imbéciles. Plus je bois, plus je suis un porc, plus la Marméladova souffre et plus elle est belle. Il faut donc aller dans le sens positif, car Catherine Marméladova et moi détestons la médiocrité. Logique absolument inaccessible aux imbéciles.

Premièrement... (*Temps. Changement de ton.*) L'alcool, l'alcool qui me dessèche, qui remplace une à une toutes les parties de mon intérieur, qui me pénètre les membres les uns après les autres, lentement, régulièrement, logiquement, sans hypocrisie, en maître. Seigneur, vous seul pardonnez tous les péchés, l'un après l'autre, sans compter. Vous seul ne comptez pas, vous seul n'avez pas peur de recommencer, recommencer, recommencer. Seigneur, Catherine Marméladova, Sonia, Sonia.

Il tombe, mort.

RODION, *se précipitant.* – Marméladov. Vous faiblissez, Marméladov. Regardez, la nuit n'est pas tombée et vous faiblissez déjà. Une bouteille. Une bouteille entière je paierai, j'ai de l'argent, je paierai une bouteille pour Siméon Zaharytch Marméladov.

Sonia vêtue magnifiquement.

SONIA. – Jambes écartées, mains tendues, le corps cambré comme un arc ; posture d'homme ; posture banale de mâle fatigué ; posture vulgaire et habituelle de client qui n'a plus honte de rien.

RODION. – Le nez écrasé sur le plancher, avec la tête qui a balancé de droite à gauche sur cet axe, et le sang qui cache les traits fixés du visage.

SONIA. – Il faut le retourner, lui joindre les mains, lui fermer les yeux.

RODION. – Il faut laver son visage, changer ses vêtements, allumer les veilleuses.

Temps.
La Marméladova prépare le cadavre pour la veillée.

RODION. – Pourquoi lui a-t-on refusé la bouteille qu'il demandait ? On ne refuse pas une bouteille à un homme comme Siméon Marméladov. On ne refuse pas une bouteille à un homme qui a soif d'alcool. Mais ils le regardaient tous en riant, et ils écoutaient ses paroles comme des bons mots, ils riaient sans savoir pourquoi, et lorsqu'il avait mis l'argent sur la table, ils lui versaient, en riant toujours, le plus mauvais alcool, en faisant exprès d'en mettre le plus possible à côté du verre. Et ils riaient, et ils riaient, et ils riaient tous, tous fils de putains.

SONIA. – Ce sont les fils de putains qui sont méprisables. Jamais les putains. Ils ont la face énorme, les yeux petits, les dents noires et la main épaisse et lourde, toute mouillée de sueur. Je les ai vus le pousser du coude en espérant qu'il tombe, et rire, et rire toujours avec toute l'imbécillité et l'impuissance que l'on peut mettre dans leur rire. Mais dès qu'ils l'ont vu tomber, mort, la peur les a pris aux jambes, et ils ont disparu, sans honte, comme toujours, et entre le moment où il tombait mort et le moment où il était étendu à terre, ils avaient tous disparu.

RODION. – Le désir, le désir de l'incontrôlable, de l'injustifiable qui me prend à la tête. Abandonner tout, tout laisser, ne plus réfléchir, ne plus peser, prendre l'arme à la main et tout détruire. Je ne veux plus ma part de ciel, ma part de pluie, ma part d'espace, je veux tout le ciel, je veux toute la pluie que je veux, je veux me tailler l'espace à coup de couteau, avec le plaisir de le prendre pas à pas ; je penserai à coup de pied ; je me justifierai à coup de hache ; je vivrai en tremblant sans interruption du plaisir de cracher à toutes les faces, en riant ; j'ai envie de cracher à la gueule de tous ceux que je rencontre ; j'ai envie... (*Temps.*) Et merde. Merde. Merde.

SONIA. – Par définition, une putain n'a peur de rien. Et surtout pas de la mort. Tu ne me fais pas peur, Siméon Zaharytch Marméladov. Je n'ai pas besoin de toi. Je suis prête à faire l'amour, à tes pieds, maintenant, en plein dans le sang, et avec le plaisir, père, mère, avec plaisir.

MARMÉLADOVA. – Je t'ai toujours pardonné, Siméon, avant même que tu sois mort, tu étais déjà pardonné. Avant même de savoir quoi, je te pardonnais. Mais dans quelle misère tu me laisses, ivrogne, et tes enfants, et nous tous, qu'allons-nous devenir, où pouvons-nous aller ? Tu n'as toujours pensé qu'à toi, tu n'as toujours pensé qu'à ta bouteille et à ton verre.

SONIA. – Rodion...

RODION. – Ma décision est prise.

La Marméladova, Rodion. La silhouette d'Aliona dans son fauteuil.

La Marméladova assise à table. Rodion à l'autre bout de la table, tourné vers le fauteuil.

RODION, *tout bas.* – Aliona. Aliona. N'ayez pas peur. C'est moi. Je suis une vieille connaissance. (*Temps.*) On dirait que vous ne me reconnaissez pas. C'est moi, c'est bien moi, Rodion Romanovitch Raskolnikov. (*Temps.*) Venez près de la fenêtre. Près de la fenêtre, à la lumière.

MARMÉLADOVA, *bas.* – Servez-moi à boire, Rodion. (*Ils sont tournés l'un vers l'autre. Temps. Fort :*) Vous savez, écoutez-moi bien,

41

je n'ai pas toujours été dans la misère comme cela. Non, non, mon père était un homme important, honorable et important, qui portait une grande moustache et qui se promenait toujours avec les mains dans les poches. C'était un homme très important, et on le saluait en s'arrêtant et en soulevant son chapeau, et lui faisait juste un petit geste de la tête ; il était très important. On ne lui aurait jamais parlé comme à n'importe qui. Vous entendez, Amalia Ludwigovna, jamais il n'aurait supporté que vous me parliez sur ce ton. C'était un homme très honorable.

RODION, *il frappe sur la table, et la vieille Aliona succombe sous chaque coup.*

MARMÉLADOVA. – Moi-même, mon père m'a mise dans une pension très bien, avec uniquement des jeunes filles de bonne famille, de très bonnes familles, et le tsar venait rendre visite chaque année, au moment de Pâques, et j'ai dansé devant lui la danse du châle, seule, et l'on m'a remis un certificat signé par le tsar lui-même, que j'ai encore, oui, oui, je l'ai encore, là, vous voulez le voir ? Je l'ai là, toujours sur moi.

Rodion, rire.

MARMÉLADOVA. – Et dessus, il est écrit – vous pouvez lire, vous pouvez lire vous-même – il est écrit : « Il est certifié par le présent document que Catherine Ivanovna... »

RODION. – A boire. (*Temps.*) J'ai soif. J'ai soif, Marméladova. (*Temps.*) Catherine Marméladova...

MARMÉLADOVA. – Je sais, Rodion, je sais. Mais il faut se taire, maintenant.

Jusqu'à la fin, le cadavre de Marméladov restera, avec une veilleuse allumée.

Dans le noir. Conversation, bruits de verre, rires, et, surtout, un air de danse, genre marche très rythmée.

VOIX DE FEMME. – Celui-là, ce sera le dernier, je te le jure. Je te le paierai, oui, oui, celui-là, je te le paierai... (*Rire*)... Allez, marque-moi encore celui-là. Ce sera le dernier.

VOIX D'HOMME. – Jamais d'argent. Je n'ai jamais vu une pièce d'argent dans ta main ou sur la table.

LA FEMME. – Tais-toi. Ne parle pas d'argent ici. Il ne doit pas être question d'argent ici. Ici, le fric n'existe plus... n'existe plus... n'existe plus... (*Temps.*) Plus rien n'existe. Ici, c'est la plage ; ici c'est le sommeil ; ici c'est le lit sacré et magnifique...

L'HOMME. – ... Le pardon, le pardon général, le crime – encore un verre, bien plein – pardonné, le sommeil...

Lumière sur Porphyre, à son bureau. L'air de danse s'arrête.

PORPHYRE. – Rodion Romanovitch Raskolnikov, vous êtes convoqué au bureau de la police pour ce soir, impérativement, à six heures.

Rire de Rodion, suivi de nombreux rires. La danse reprend. Rodion et Razoumihine, ivres.

RODION. – « Près de la fenêtre, nous serons bien mieux là. » Non, c'était beaucoup moins fort que cela ; je parlais bas, pour que les locataires du dessous ne soient pas alertés par le bruit. (*Bas.*) « Près de la fenêtre, vous déferez les ficelles plus facilement. »

Porphyre, rire.

RODION. – J'étais juste derrière elle, tendu, avec la main qui serrait la hache à travers le tissu du manteau. Et je sentais la hache collée à ma jambe et je me demandais si ma main serait assez forte pour la lever au moment voulu.

Razoumihine. Rire avec d'autres rires.

RODION. – La vieille me regardait, avec un drôle de regard, comme si elle savait tout d'avance, et je crois que je tremblais des pieds à la tête.

RAZOUMIHINE, *riant.* – La peur, Rodion, bien sûr, tu avais peur.

PORPHYRE. – Allez-y, allez-y donc.

RODION, *bas.* – « Ne me regardez pas comme cela. Oui, oui, je tremble, c'est parce que je n'ai rien mangé depuis longtemps, j'ai la fièvre. »

PORPHYRE, *applaudissant.* – C'est cela, très bien, très bien.

RODION. – Elle s'est tournée vers la fenêtre, et je ne voyais plus son visage, je ne voyais que ses mains qui s'agitaient sur les ficelles. Alors... (*Geste très lent...*)

PORPHYRE. – Tss... Tss...

RODION. – Très vite, j'ai sorti la hache et je l'ai frappée, le plus vite possible, presque sans regarder, au hasard.

Et elle est tombée, petit à petit, en riant très fort, comme cela.

Rires, applaudissements.

RAZOUMIHINE. – En riant, en riant, oui, oui, c'est bien cela : « En riant très fort. »

PORPHYRE, *dur*. – Bien, allez-y maintenant. (*Temps.*)

RODION. – C'est la lune qui était trop forte. Avant même que le jour soit tombé, elle était là, menaçante, et je la voyais me guetter, m'épier, et je ne pouvais plus bouger, j'étais sans force, et fatigué, fatigué...

PORPHYRE. – Plus que cela. Plus fort, plus fort.

RAZOUMIHINE. – La maladie. La maladie qui te guettait. Et cette chambre malsaine...

RODION. – Elle est entrée en moi, elle s'est infiltrée dans mes membres, et ma tête était blanche et opaque comme elle, et je marchais, et je bougeais, et j'étais porté, sans effort à faire, j'étais porté...

PORPHYRE. – Encore, encore.

RODION. – Je ne pouvais plus m'arrêter, mes bras partaient, et ma tête était vide, et mes pieds m'emportaient, ma tête était vide, vide.

PORPHYRE. – Cela vient.

RODION. – La lune, la lune qui me tenait...

PORPHYRE. – Oui, oui.

RODION. – La vieille Aliona Ivanovna...

PORPHYRE. – Oui.

RODION. – J'ai tué la vieille Aliona Ivanovna.

RAZOUMIHINE. – Le délire. C'est le délire, Rodion. J'en était sûr, tout est simple, le délire.

PORPHYRE, *applaudissant.* – C'était très bien.

Porphyre seul. Arrêt de l'air de danse. Se levant.

PORPHYRE. – C'était très bien. Vraiment très bien. Cher, cher, Rodion. (*Temps.*) A présent, je crois qu'il est l'heure ? Porphyre Petrovitch, mon ami, je crois qu'il est l'heure d'aller se coucher... sans manger, car il me semble bien que je prends de l'embonpoint. Oui, oui, mon ami Porphyre, votre ventre prend petit à petit des proportions étonnantes. Il est primordial, je dis bien primordial, de surveiller sévèrement votre régime alimentaire. Regardez, mais regardez donc ce profil. Un clown, vous serez toujours un clown. Le bassin démesuré, le torse minuscule, les épaules plus ou moins droites, le cou gras, oui, vraiment, épouvantablement gras ; les joues pleines, qui traînent, qui traînent, et les yeux, toujours les mêmes deux petits yeux ridicules – et laids, nettement plus laids que la moyenne des yeux. Non... non, ce n'est pas possible... et pourtant, si... mais... oui, c'est bien cela, les cheveux tombent. Alors là, non, c'en est trop. Les cheveux qui tombent, c'en est trop. Porphyre Pétrovitch, c'en est trop, vous m'agacez. (*Temps.*) Je vous assure qu'il y a des moments, Porphyre, mon ami, où j'aurais préféré que... – Mais ce n'est pas la peine de revenir là-dessus... Cependant. – Allons, bon, pas de faiblesse... Ah, la surprise. Ah, l'exaltation de la surprise... Porphyre, ne vous laissez pas aller... Que je voudrais, oui, oui, que je voudrais... ne pas savoir... d'avance... une fois... une fois seulement...

Chut. Du nerf, du nerf. Manqueriez-vous de poids, Porphyre Pétrovitch ? Je suis un clown, certes, certes... mais je sais... certaines choses... C'est cela : je suis un clown, mais un clown qui sait certaines choses... qui sait certaines choses...

Dounia, très maquillée, ivre. L'air de danse a repris.

DOUNIA. – Vraiment, vous croyez ? Oh non, non, je n'ose pas. Je n'ose absolument pas. Et que dirait... oui, je sais, nous sommes seuls, mais quand même. Et puis, vous savez, vous êtes un homme... d'âge... certain – je ne veux pas dire par là que vous êtes vieux, oh non, et puis évidemment votre situation est des meilleures, – mais, pour ma part, je suis très jeune, et de la campagne – si, si, je ne renie pas mes origines – je suis de la campagne et à la campagne, on n'a pas beaucoup l'habitude... Vous êtes têtu ; vous abusez de votre force. Oui, oui, je trouve très sincèrement que vous abusez de votre force.

Tant pis, vous l'aurez voulu. (*Elle se lève.*) Mais d'abord, comment fait-on ? Vous savez, je vous l'ai déjà dit je n'ai pas l'habitude... Bon, eh bien, puisque vous y tenez... (*Elle danse. S'arrête.*) Vous voyez, je n'arrive pas. (*Repart. Au bout d'un moment.*) Ça y est, je crois que cela vient. (*Elle danse de plus en plus vite. Puis chantonne.*) « Toute l'année j'ai caressé ma femme. Toute l'année j'ai caressé ma femme. » (*Elle danse sans s'arrêter, tandis que l'air s'amplifie.*)

Sonia... ivre, et Rodion, en plus. Porphyre à son bureau.

Sonia est en train d'enlever son maquillage.

SONIA. – Comme cela ?

RODION. – Encore un peu. Là. Et là encore. Sous le menton, oui, oui, sous le menton.

SONIA. – Je suis fatiguée.

RODION. – Il reste les bijoux. (*Elle ôte ses bijoux.*) Les chaussures. Tourne-toi. Tu pourrais... oui, oui, cela me semble indispensable. Tu pourrais tirer tes cheveux en arrière, ni trop ni trop peu, juste les tirer en arrière.

SONIA. – Je n'arrive pas. Je suis fatiguée. Aide-moi.

Il lui prend les cheveux et ne les lâche pas.

PORPHYRE. – La théorie, mon cher, la théorie. Ne sentez-vous pas le froid insupportable vous envahir ? Si, si, je dis bien : le froid. Le froid et la sécheresse. Ah, Rodion Romanovitch Raskolnikov, je crois bien, très sincèrement, que la sécheresse est l'épreuve la plus épouvantable qui soit. Pour ma part, je me dis toujours que j'ai tort de ne pas boire ; oui, je suis tout à fait persuadé que le malheur vient de ce que je ne bois pas. Mais vous, mon cher, vous qui n'avez pas ce vice d'abstinence, la sécheresse, vous guette ; c'est vous, non pas moi, qu'elle agrippe et n'épargnera pas. Non, mon cher Rodion, je vous l'assure : vous ne serez pas épargné.

Mais que disais-je ? Ah oui, je parlais du froid. Du froid et de la sécheresse. Il est une autre chose à laquelle vous semblez ne pas penser. – Vous êtes un théoricien, Rodion (vous permettez que je vous appelle très familièrement Rodion ?) vous êtes un théoricien – il est une chose que vous paraissez oublier totalement...

RODION. – A présent, Sonia.

Il la tient toujours par les cheveux.

PORPHYRE. – Les nerfs, mon cher, les nerfs...

RODION, *il la met à genoux.* – Couche-toi sur le sol.

SONIA. – Rodion.

RODION. – Mets tes bras en croix, tendus de chaque côté.

SONIA. – Rodion.

RODION. – Et crie, la bouche collée au sol, crie : « J'ai péché, par amour, par amour seulement, mais je suis une criminelle, et je demande pardon au peuple et à la terre elle-même.

SONIA. – Rodion.

PORPHYRE. – Très bien : « La bouche collée au sol », très bien. Mais...

SONIA. – Rodion. Rodion. (*Temps.*) Ecoute, je veux danser. (*Elle danse.*)

RODION. – Salope.

PORPHYRE. – Les nerfs, mon cher, je vous l'avais bien dit : les nerfs.

Sonia entraîne Rodion avec elle.

SONIA. – « Toute l'année j'ai caressé ma femme. »

RODION. – « Toute l'année, j'ai caressé ma femme. »

Le ton monte, le rythme monte.

La Marméladova, seule assise sur un fauteuil, ivre, évidemment.

MARMÉLADOVA. – La vertu des filles. C'est la vertu, la vertu des filles qu'il faudra avant tout préserver, et soigner, et entourer de mille soins définitifs, je dis bien : définitifs.

Car ce sera une maison convenable, uniquement pour les jeunes filles de bonne famille, de très bonnes familles. On y apprendra la danse, et la tenue, et à faire la révérence, ah, la révérence. J'ai hâte, oui, vraiment, vraiment, j'ai hâte... Demain, c'est demain que j'irai voir le gouverneur. C'est un ami de mon père, il l'a très bien connu – le gouverneur Anton

Semionovitch... Anton Semionovitch... je ne sais plus exactement son nom, mais je n'aurai qu'à dire qui je suis – je ne le connais pas, mais c'était un ami de mon père, il le connaît très bien – et je lui présenterai ma requête, et dès qu'il saura qui je suis, il me recevra, vous entendez, Amalia Ludwigovna, il me recevra, tout de suite, sans me faire attendre. (*Temps.*) « Oui, monsieur, c'est moi, c'est bien moi, Catherine Ivanovna Marméladova, directrice de ce pensionnat. Non, monsieur, c'est le gouverneur général Anton Semionovitch... – peu importe, c'est le gouverneur général qui m'a prié de prendre la tête de cette institution ; car mon père et lui se connaissaient très bien, et monsieur le gouverneur général Anton... a toujours eu beaucoup d'estime pour notre famille. Bien sûr, madame, votre enfant sera bien soignée. Nous n'avons ici que des professeurs de qualité, et des éducatrices choisies très sévèrement. Vous pouvez nous la confier en toute quiétude.

Oui, assurément, pour les questions administratives, il faut vous adresser au secrétariat ; je vais vous y conduire. Pour ma part, je m'occupe essentiellement de l'éducation des jeunes filles, c'est très important, je vous crois bien, c'est le plus important. » (*Riant.*) La vertu. La vertu des filles... oui, oui, des soins définitifs. La sauvegarder à tout prix par des soins efficaces, efficaces et définitifs.

Dounia, Sonia, Rodion, Porphyre.

Dounia arrête de danser.

DOUNIA. – Où vas-tu ?
RODION. – Dehors. J'ai chaud, et la pluie...
DOUNIA. – Il ne pleut pas. Il n'y a pas une goutte de pluie dehors. La rue est sèche, et pleine de poussière.
RODION. – Si, si, il pleut. Il pleut certainement. Il ne peut pas ne pas pleuvoir. J'entends les gens marcher, et le bruit de leurs pas me dit bien que le sol est mouillé, et qu'il pleut, qu'il pleut encore. Il fait chaud ici. Je sors dans la rue pour marcher un peu.

Porphyre, rire.

DOUNIA. – Ne sors pas, Rodion, je ne veux pas que tu sortes maintenant. Je suis venue exprès jusqu'ici, et tu ne peux pas t'en aller maintenant.
PORPHYRE. – Voulez-vous, Dounia, voulez-vous que je vous dise ce que fait notre cher,

cher Rodion, à présent ? Regardez bien. Il avance, doucement, en laissant la porte derrière lui – ne disait-il pas qu'il voulait sortir, marcher un peu sous la pluie ? – mais il laisse la porte derrière lui, et s'approche de la petite fenêtre dont il écarte les rideaux. Vous voyez, je ne regarde pas, et pourtant, je sais qu'il écarte doucement les rideaux. Il a collé son front à la vitre, pour trouver un peu de fraîcheur, à moins qu'il ne soit trop fatigué pour la tenir droite, et peut-être, oui, peut-être même pleure-t-il – je n'en suis pas certain, mais c'est une chose possible, tout à fait possible.

RODION, *brusquement, en se retournant.* – Il me reste l'imprévisible. Porphyre Pétrovitch, il me reste l'imprévisible auquel vous ne pouvez rien.

L'eau, l'eau noire, celle dont on ne voit pas les contours ni aucune limite, sur laquelle on se renverse, en la regardant fixement jusqu'à ce qu'elle occupe tout le regard, au-dessus de laquelle on s'abandonne, en laissant le vide qui depuis longtemps cognait la tête et contre lequel on se barricadait, entrer, tout doucement, sans se débattre, et couler petit à petit dans la tête, jusqu'à ce que le poids entraîne, sans qu'on se défende, sans que l'on fasse rien.

PORPHYRE. – La banalité, mon cher, vous

plongez tête en avant dans la banalité. Connais-sez-vous quelque chose comme : « Vous ne savez ni le jour ni l'heure. » J'adore les cita-tions, vous non, je le sais, mais vous connaissez certainement...

RODION. – Le dernier mot, Sonia, Dounia, il me reste quand même le dernier mot, celui que moi seul suis capable de faire.

PORPHYRE. – Et vous vous satisfaites de la variation la plus élémentaire sur ce texte ? Vous êtes décevant, mon cher Rodion – vous ai-je demandé l'autorisation de vous appeler tout simplement Rodion ? – vous êtes déce-vant.

DOUNIA. – Sonia, j'ai besoin de vous. Je suis fatiguée, il ne me reste que vous.

Sonia arrête de danser.
Temps.

RODION, *brusquement, à Sonia et Dounia, sans les reconnaître.* – Aimez-vous l'orgue de Barbarie ? (*Temps.*)

Sonia et Rodion parlent ensemble.

SONIA. – Je vous le promets, Catherine Mar-méladova n'est pas responsable de ce que je suis devenue. Jamais elle n'aurait voulu cela, et mon père, sans rien en dire, est mort de douleur. Mais je ne pouvais pas supporter de voir Catherine Marméladova se tuer au travail, et la maladie la gagner, comme elle a gagné mon père, et déjà, elle s'emparait des enfants. Moi, j'étais là, inutile, sans rien faire, inutile, inutile.

RODION. – Pour moi, j'aime plus que tout l'entendre le soir, quand les rues sont vides, et qu'il raisonne doucement, sans altérer le silence, comme pour l'épaissir encore. (*Temps.*)

RODION, *à Sonia.* – Avez-vous déjà pensé à vous suicider ?

Sonia et Rodion ensemble.

SONIA. – De toute façon, je sais, je suis sûre que la seule logique est celle de l'amour ; et je sais bien que tout ce que j'ai fait, je l'ai fait par amour. Je suis sûre que Dieu ne demande aucun compte ; en dehors de l'amour, Dieu ne demandera rien.

RODION. – Je crois pourtant qu'à votre place... je ne vois pas très bien ce qui vous retient... non, vraiment, je ne comprends pas du tout pourquoi vous insistez, vous insistez tant.

Temps.

RODION. – Croyez-vous en la résurrection de Lazare ? (*Silence.*) Sonia, Sonia Marméladova, je vous ai demandé : croyez-vous en la résurrection de Lazare ?

Rire de Sonia.

PORPHYRE. – Rodion.

RODION, *crié*. – Croyez-vous en la résurrection de Lazare ? La résurrection de Lazare. La résurrection...

PORPHYRE, *très dur*. – Je vous en prie, Rodion Romanovitch, je vous en prie ; ne soyez pas inconvenant. On pourrait nous entendre.

RODION. – Lazare est-il ressuscité ? Lazare est-il mort ? Lazare...

PORPHYRE. – Rodion, je vous prie de vous taire. Vous êtes un grossier personnage et je vous prie de vous taire.

RODION. – Lazare. Je me fiche de Lazare. Lazare n'existe pas. Lazare n'a jamais existé.

PORPHYRE. – Rodion. (*Très sérieusement.*) Une dernière chose, mais de la plus grande importance, si jamais vous aviez l'intention de... comment dirais-je... de mettre fin à vos jours, je vous prie, et cela me semble tout à fait primordial, je vous serais reconnaissant de me faire connaître l'endroit où vous avez caché l'argent, vous savez bien, l'argent de la vieille Aliona Ivanovna... Vous entendez Rodion Romanovitch Raskolnikov ; je tiens absolument à ce que vous ne... partiez pas sans m'avoir dit auparavant où se trouve l'argent. Je tiens beaucoup à cela, Rodion, j'y tiens beaucoup.

La lumière de la lune sur le fauteuil vide d'Aliona.

La Raskolnikova – ivre, pourquoi pas – est appuyée au dossier, bras écartés. Rodion tourné vers elle.

Les silhouettes de Dounia et de Sonia dansant, sans musique.

RASKOLNIKOVA. – Bonsoir.
RODION. – Bonsoir. (*Temps.*) Je sais, ce n'est pas la peine de parler. Ne parle pas, surtout ne parle pas.
RASKOLNIKOVA. – Moi aussi, Rodion, tu sais bien que moi aussi, je sais. (*Temps.*) « Ce n'est pas la peine de parler, mère. Ce soir, les mots glissent sur moi, ils viennent me

heurter sans rebondir, et s'enfoncent molle-
ment comme des pas sur un tapis. J'aborde
tout, sans rien sentir, sans bouger... »

RODION. – Ne parle pas. (*Temps.*) « C'est la
mort. C'est la mort, Rodion, qui t'a pris par
surprise, alors que tu n'as rien à faire avec elle,
non, je le sais, je le sais mieux que personne :
tu n'as rien à faire avec elle. »

Temps.

RASKOLNIKOVA. – « Tout mon corps, tout
mon corps qui se raidit. Je me sens tout entier
me dresser, et les nerfs qui se tendent à nouveau jusqu'au bout de chacun de mes membres, qui se tendent ; et la peau qui se referme,
et tout l'être, comme un bloc, qui s'oppose,
qui s'oppose... »

RODION. – « Après le dernier mot, il y en a
encore un autre, et encore un autre qui suit.
Je le savais bien, moi, j'en étais sûre, c'est la
partie de moi-même qu'il y a en toi qui en était
sûre, c'est moi qui t'ai donné cette évidence,
comment ne l'as-tu pas senti plus tôt ? »

RASKOLNIKOVA. – « Je ne sais plus... je ne
sais plus rien... Je ne sais qu'une chose : je ne
veux pas dormir... ne pas dormir... mère... je
ne veux pas dormir... »

RODION. – « Je veillerai avec toi, Rodion, Rodion chéri, je t'aiderai à veiller, à attendre, attendre jusqu'à ce que le jour se lève, à forcer le jour à se lever en pleine nuit, tout de suite, en plein milieu de la nuit. » (*La Raskolnikova s'écarte du fauteuil qui reste seul, vide.*) (*Temps.*) C'est long.

RASKOLNIKOVA. – Non, Rodion, je t'assure que le jour se lève.

RODION. – Peut-être.

Svidrigailov, seul, une corde à la main.

SVIDRIGAILOV. – Le petit matin. D'une part la fraîcheur, la fraîcheur qui se glisse entre la peau et les vêtements, de sorte qu'on a l'impression de ne plus porter de vêtement, de sorte qu'on a l'impression d'être nu. Le petit matin qui vous met tout nu.

D'autre part, la lumière, très nettement colorée de blanc, de sorte que tous les objets prennent une teinte blanche qui efface toutes les imperfections, de sorte que, si l'on se regarde dans une glace, des pieds à la tête, on se voit très blanc, sans tache, et beau, oui, beau. Le petit matin a le privilège de vous faire beau, nu et beau... Le moment est donc idéal. Le lieu... voyons, le lieu : personne, pas un chat, le bruit d'une usine au fond, et un vieux fonctionnaire, qui était certainement ivre hier au soir, couché devant une porte cochère. Il me regarde et doit se demander ce que je fais. « Ne vous inquiétez pas, mon cher, ne vous inquiétez pas, je ne fais que... passer, oui, oui, je passe seulement. » (*Il prépare la corde pour se pendre.*) Faisons vite. Ce particulier risquerait de donner l'alerte. Mais pas trop cependant ; il faut garder ses formes à la cérémonie. (*Il se passe la corde autour du cou.*) C'est dommage. Les plus beaux moments sont toujours les plus courts. Plus ils sont beaux, plus ils sont courts. Et comme je deviens de plus en plus exigeant, raffiné, gourmet, ils sont de plus en plus courts. C'est dommage. Mais celui-ci en est un de choix. Le dernier, mais un de choix. « Non, non, écoutez, ne vous inquiétez pas, je n'en ai que pour un moment, un tout petit moment. Restez là où vous êtes ; vous ne me dérangez pas, je ne vous dérange pas, nous ne nous dérangeons pas mutuellement. Ce ne sera rien, je vous assure, ce ne sera rien du tout, ne vous inquiétez pas. » (*Il se pend en prenant son temps.*)

Temps.

UNE VOIX. – Un pendu. Il y a un pendu sur la place du Marché au Foin.

Razoumihine, frappant sur la porte de Rodion.

RAZOUMIHINE. – Rodion, Rodion, réponds-moi, je t'en supplie, Rodion.

UNE VOIX. – Comment s'appelle-t-il ? Son nom ? Comment s'appelle-t-il ?

RAZOUMIHINE. – Il est arrivé quelque chose. Il est arrivé quelque chose à Rodion, Rodion Romanovitch Raskolnikov, vous connaissez ? Il est là-dedans, il ne répond pas, il s'est peut-être tué, oui, oui, peut-être est-il pendu, là, à l'intérieur.

Il défonce la porte.

Svidrigailov, brusquement, sort la tête de la corde.

SVIDRIGAILOV. – Un pendu ? Où ça, un pendu ? Est-ce sérieux ? Un pendu ? Quelle idée, quelle étrange idée. Et moi qui faisais cela pour rire. Y aurait-il donc des gens pour le faire vraiment ? Où ça ? Montrez-le-moi, je veux le voir, je veux le voir absolument.

RAZOUMIHINE. – Pourquoi ne répondais-tu pas ? J'ai eu peur. J'ai eu très peur.

RODION. – Je t'attendais.

Rodion et Razoumihine, seuls.

RAZOUMIHINE. – A présent, mettons les choses au clair. Regarde-moi. Je suis décidé à te parler, oui, je suis tout à fait décidé à parler avec toi de tout, d'absolument tout. Il faut que ce matin nous mettions en commun – il ne s'agit plus de partage, je ne veux plus de partage –, il faut que l'aube nous trouve unis, tellement qu'elle ne puisse mettre au jour les limites de chacun de nous, où tu commences et où je commence, et que la nuit, la prochaine nuit n'ait plus qu'un ennemi, redoutable parce que ce sera toi et moi, et unique.

RODION. – Mais la prochaine nuit est déjà là. Ne la sens-tu pas ? Ne sens-tu pas que le jour n'arrive pas à faire sa place ce matin ? Je suis sûr que tu le sais aussi, et c'est pourquoi tu es là.

RAZOUMIHINE. – Il n'y a pas de temps à perdre, Rodion, plus un instant à perdre. Rodion. Parle, parle encore. Je sens ta voix monter et grandir dans ma tête, et c'est comme si je me couchais dans une mer tiède, sourd et aveugle, avec le risque du sommeil qui n'existe plus.

Sourd et aveugle, avec ta bouche seule qui me parle, et tes yeux que je n'ai plus besoin de regarder parce qu'ils sont là, maintenant, et se confondent avec les miens.

RODION. – Tu n'as plus de nom. Tu n'as plus de visage, je ne le vois plus ; tu es tout entier l'endroit où je finis par ne pas exister, doucement et sans même y penser, et où la mort est inconnue, et où la vie s'absente lentement devant nous, avec nos yeux grands ouverts qui la regardent partir, sans bouger. (*Temps.*)

RAZOUMIHINE. – Il ne fait pas nuit. Il ne fait pas jour. Je ne me souviens plus de ce que l'on devait attendre, je ne me souviens plus qu'on attendait quelque chose. On est là, seuls, d'une solitude sans risque, immobile et inébranlable, et silencieuse, silencieuse...

Svidrigailov, seul.

SVIDRIGAILOV. – C'est toujours au plus fort de l'émotion que se produit cette chose agaçante qui dure depuis... enfin, depuis ma première nuit avec une femme – c'était la mienne d'ailleurs, si je me souviens bien. Oui, c'est toujours quand je pense à tout autre chose qu'à cela, quand je ne pense à rien du tout en fait, lorsque je crois tenir tout entier le corps de la femelle, et qu'il ne risque plus de s'échapper, il se produit cette... chose, étonnante certainement, mais agaçante, terriblement agaçante. Figurez-vous – vous ne me croirez pas, mais peu importe, c'est vrai, moi je le sais –, figurez-vous que soudain – c'est au plus fort de l'émotion, je vous l'ai déjà dit –, tout ce que je tiens entre les doigts commence à se rétracter, d'une manière régulière, comme un papier que l'on fait brûler ; j'ai beau essayer de maintenir le volume intact en retenant les bras, le rétrécissement est inévitable. A chaque fois, je suis épouvanté – je ne m'y habitue pas, non je ne parviens pas à m'y habituer – lorsqu'il me tombe tout à coup des bras le corps d'un enfant, je dis bien une fillette de quatre ou cinq ans peut-être, toujours la même, qui me regarde. A chaque fois, la même horreur, lorsque cette fillette, au visage pâle et lisse comme on peut l'avoir à cet âge, contracte soudain ses traits jusqu'à l'éclatement, avec une expression de femme avide et usée, et elle rit, d'un rire comme seules les prostituées peuvent en émettre, un rire puissant et épais comme un vomissement, elle rit, sans s'arrêter, sans même reprendre son souffle...

Rodion et Razoumihine.

Le cadavre de la vieille Aliona, debout au-dessus d'eux.

Rodion a les mains et le visage trempés de sang. Razoumihine recule, tandis qu'on entend la voix de Dounia qui chante doucement.

DOUNIA. – « ... j'ai caressé ma femme,
« Toute l'année, j'ai caressé ma femme. »

Le cadavre de la vieille danse soudain sur un rythme débridé, avec des mouvements brusques, larges, provocateurs, un peu comme une danse du ventre, puis s'arrête.

On entend à nouveau la voix de Dounia.

Svidrigailov, dans l'ombre.

SVIDRIGAILOV. – Dounia. C'est Dounia Ras-kolnikova, je reconnais sa voix. Que toute cette histoire reste entre nous. Il ne faut pas qu'elle sache. Protégez-la ; protégez-la.
RAZOUMIHINE. – Je t'aurai.
RODION. – Et je me laisse avoir. (*Il fait semblant de dormir.*)

Dounia en plus.

DOUNIA. – Rodion ; j'ai cherché Rodion toute la nuit. Où est-il ?

RAZOUMIHINE. – Rodion n'est pas là. Ou, s'il est là, il dort.

DOUNIA. – Ce n'est pas possible.

RAZOUMIHINE. – Ce que nous faisons ne l'intéresse pas du tout. Il dort, vous dis-je. Et ce qu'il fait ne nous intéresse pas. Il faut partir.

DOUNIA. – Il n'est pas question que je parte.

RAZOUMIHINE. – Il faut partir. Allons-nous-en. Dounia, il faut que nous nous en allions.

SVIDRIGAILOV, *tandis que Razoumihine s'approche lentement de Dounia.* – Allons, du courage, un tout petit peu de courage. Ce n'est que le premier pas qui est difficile. Mais, après le premier pas, oh, quelle volupté ; oh, quelles découvertes profondes (*rire*) profondes.

DOUNIA. – Que faites-vous ? Que faites-vous ? Rodion, Rodion chéri, mon frère.

RAZOUMIHINE. – Il dort. (*Quelque chose comme un viol, ou simplement une agression, ou simplement une délicatesse amoureuse.*)

SVIDRIGAILOV. – Je vous l'avais dit : pourquoi renoncer aux femmes ? Il ne faut jamais renoncer aux femmes tant qu'on en a l'occasion, et la possibilité. Et la possibilité se perd si vite... si vite...

RODION, *se relevant, riant, au cadavre de la*

vieille qui le suit. – Viens ; ailleurs maintenant. Ah, Sonia, Sonia Marméladova, je vous cherchais.

Sonia, Rodion, Svidrigailov.

SONIA. – Enfin. (*Temps.*) Bien sûr, je vous attendais. Oui, oui, je vous attendais ; mais je ne pensais pas... je ne me doutais pas que comme cela... en pleine nuit...

RODION. – Voyez-vous, Sonia, il fallait que je vous voie, il fallait absolument que je vous voie. Il y a une chose qui m'a toujours étonné, et qui m'étonne encore dans votre amour pour moi...

SVIDRIGAILOV. – Rodion, voyons...

SONIA. – Je ne vous ai jamais parlé d'amour. Quelle est cette comédie ? Je n'ai jamais...

RODION. – Comédie, c'est cela. C'est exactement là où je voulais en venir. Vous êtes fragile, Sonia, très fragile. Vous tenez à un fil, et le fil, je crois le connaître...

SVIDRIGAILOV. – Rodion, ne faites pas votre petit malin.

RODION. – Je crois même le tenir entre mes doigts, vous entendez, Sonia, entre mes doigts.

SVIDRIGAILOV. – Rodion, vous êtes un débauché, oui, vraiment, un fameux débauché.

69

RODION. – Sonia, je suis fatigué de jouer la comédie. Je me croyais assez fort pour cela, j'étais certain de pouvoir mystifier tout le monde, vous surtout, oui, surtout vous ; mais c'est l'échec. Les nerfs, j'avais oublié les nerfs que j'ai si fragiles. Tout petit déjà...

SVIDRIGAILOV. – Mais tuez-vous donc. Qu'attendez-vous ? Tuez-vous !

RODION. – Silence. (*Temps.*) J'ai décidé à présent – par faiblesse, entendez-vous, par faiblesse – j'ai décidé d'en finir, d'arrêter cette comédie, et, avant de reprendre le cours normal des choses, de venir vous voir...

SONIA. – Je vous aime, Rodion...

RODION. – Moi aussi, chère, chère Sonia, moi aussi, comme tout le monde.

SVIDRIGAILOV. – Débauché.

RODION. – Comme tout le monde...

SVIDRIGAILOV. – Salaud...

RODION. – D'autant plus que, Sonia Marméladova...

SVIDRIGAILOV. – Vicieux, vicieux, dégueulasse.

RODION. – ... vous n'avez jamais été véritablement une putain. Je n'y ai jamais cru, jamais.

La Raskolnikova, tandis qu'on entend le rire de Rodion.

RASKOLNIKOVA. – Ridicule ; je dois avoir l'air ridicule. Allons, des éponges, un seau, une serpillière. Je vous assure que ce n'est pas de ma faute. Mais c'est de pire en pire, comme un virus qui s'est installé en moi, et qui me fait pleurer, maintenant, oui, oui, pleurer, alors que, c'est bien évident, je n'en ai pas la moindre envie. Mais voilà maintenant, je pleure, alors que je pourrais tout aussi bien rire, mais (*elle essaie*)... non, vous voyez, je n'arrive pas. Que vont penser les gens ? Je suis obligée de me cacher, et de me boucher la bouche et les yeux pour ne pas parler et ne pas pleurer. Que vont penser les gens ? Ce doit être un virus, oui, oui, c'est certainement un virus. Il faudra que j'aille voir un médecin, en cachette, non, je ne peux pas, je n'arrive pas à dire ce que je veux dire, c'est toujours autre chose qui sort à la place, quelque chose que je ne connais pas du tout, alors, que penserait-il de moi, que penseraient-ils de moi ?

Rodion, Svidrigailov, Dounia.

DOUNIA. – Où est Rodion ?
SVIDRIGAILOV. – Vous comprenez, j'aimerais bien manger, car je suis un gourmet, un fin gourmet. J'aimerais bien manger, mais voilà :

je n'ai jamais faim, absolument jamais, et je ne peux rien avaler d'autre que du bouillon, vous rendez-vous compte, du bouillon de légumes.

DOUNIA. – Où est Rodion ?

SVIDRIGAILOV. – Il est là. C'est comme pour le vin. J'ai le vin très mauvais, savez-vous, le foie, eh oui, le foie, à mon âge...

DOUNIA. – Rodion, réponds-moi.

SVIDRIGAILOV. – Je suis même dégoûté de boire, et cela c'est grave : dé-goû-té.

DOUNIA. – Pourquoi refuses-tu de me regarder, de me parler ? J'ai tout quitté, j'ai abandonné la maison, notre mère, je me suis moimême abandonnée, pour que tu me regardes, un instant, que tu me parles. C'est moi, Dounia, ta sœur.

SVIDRIGAILOV. – Ne plus avoir faim, ne plus avoir soif, je crois bien qu'il n'y a pas de maladie plus grave. Surtout lorsque l'on aime manger et boire. C'est grave, très grave...

DOUNIA. – Rodion, je t'en supplie...

SVIDRIGAILOV. – Peut-être, oui... une femme comme vous peut-être... pourrait... si elle le voulait, bien sûr, éveiller en moi... à nouveau un certain appétit...

DOUNIA. – Rodion.

SVIDRIGAILOV. – Joignez-vous donc à nous, Dounia Raskolnikova, vous verrez, nous nous amuserons certainement beaucoup, je m'en porte garant, nous nous amuserons beaucoup.

DOUNIA. – Je t'en supplie.

RODION. – Fais donc ce que le monsieur te demande. Pourquoi hésites-tu ? Je te le demande, Dounia, s'il te plaît, par... amour pour moi.

Le cadavre d'Aliona.

Sonia et Rodion qui avancent l'un vers l'autre. Lorsqu'ils sont très proches, le cadavre se met à danser sur un rythme très lent, tandis que Sonia et Rodion se tiennent comme enlacés. Lorsque l'ombre s'arrête de danser, on s'aperçoit que Sonia tient Rodion par les cheveux et elle le jette à terre, puis le roue de coups, tandis qu'il se laisse faire.

SONIA. – Qu'est-ce que nous allons faire, maintenant ? Pourquoi m'as-tu dit cela ? Qu'est-ce que nous allons faire ?

RODION. – Je ferai ce que tu me diras de faire, Sonia, tout, n'importe quoi...

SONIA. – Sur le sol, la bouche collée au sol...

RODION. – ... n'importe quoi.

SONIA. – ... et crie : j'ai péché, j'ai péché, j'ai péché, crie, plus fort, plus fort.

RODION. – J'ai péché par amour, j'ai péché, pardon, pardon...

SVIDRIGAILOV, *chargeant un pistolet*. – Ah, j'en conviens, l'endroit est beaucoup moins bien que l'autre fois : beaucoup de bruit, du monde qui s'agite, qui s'agite ; mais que voulez-vous ; on n'a pas toujours la chance pour soi. C'est comme la petite fille du lit... mais je vous l'ai déjà racontée, peu importe.

« Surtout, ne vous dérangez pas. » – Entre nous, personne ne semble avoir l'intention de se déranger. Mais c'est une question de forme. « Je passe, je ne fais que passer, oui, je vous l'assure, je ne fais que passer. »

Il se tire une balle dans la tête, pour de vrai, cette fois.

La Marméladova et Rodion.

MARMÉLADOVA. – Vous n'allez quand même pas vous présenter dans cette tenue, Rodion Romanovitch ? Regardez vos vêtements, tout sales et fripés comme des chiffons. Non, non, j'ai certainement quelque chose à vous prêter,

74

il est impossible que vous vous présentiez dans cette tenue.

RODION. – Arrêtez. Ne bougez pas. Je me sens très bien comme cela, très à l'aise, très à l'aise, et même comme un peu ivre.

MARMÉLADOVA. – Allons, ne traînez pas, les bureaux vont fermer. Changez-vous, vous n'avez pas un instant à perdre.

RODION. – De la place. Il y a de la place autour de moi. C'est bon...

MARMÉLADOVA. – Les bureaux...

RODION. – Les bureaux sont petits et puants. Ici, l'espace, le vide que j'ai fait autour de moi, si calme, si calme...

MARMÉLADOVA. – Mais voyons, vous savez bien...

RODION. – Une minute. Juste une minute encore. Je suis ivre... ivre... (*Temps.*)

MARMÉLADOVA, *très dure*. – Assez.

Rodion s'immobilise.

La Marméladova s'en va.
Dounia vient buter sur Rodion, recule, tourne autour de lui, puis, après un temps, prenant son souffle, très fort, très articulé.

DOUNIA. – Remettons les choses en ordre.

Le cadavre d'Aliona regagne sa place sur le fauteuil en haut des marches.

Rodion avance, lentement, en s'arrêtant de temps en temps.

A nouveau les bruits de la rue.

Dounia, Sonia, Razoumihine.

La Marméladova, qui tourne autour de tout le monde, sans regarder personne. La Raskolnikova, qui précède Rodion, à reculons.

SONIA. – La main de Dieu, Rodion, la main de Dieu sur toi et sur nous, qui nous sauve, Rodion, nous sommes sauvés.

MARMÉLADOVA, *Rodion s'arrête lorsqu'elle parle.* – Peu importe... peu importe. Qu'est-ce que cela peut faire ?

RAZOUMIHINE. – Je suis avec toi. Je te suis.

MARMÉLADOVA. – Ah mais, qu'est-ce que je fais ici ? Pourquoi est-ce que je veux donc toujours rester ici ?

RAZOUMIHINE. – Tout entier, je reste près de toi, appuie-toi sur moi, je te tiens et je ne te lâche pas.

DOUNIA. – Tu es toute mon existence, Rodion, et je me sens vivre, vivre.

MARMÉLADOVA. – Allons, allons, peu importe, chut, chut, peu importe.

DOUNIA. – Je t'attendrai, Rodion, je t'attendrai.

SONIA. – La route n'est pas si longue.

RAZOUMIHINE. – La Sibérie. Nous irons avec toi jusqu'en Sibérie.

Rodion s'immobilise, puis avance jusqu'au bout comme un automate, sauf quand la Raskolnikova parle.

Les bruits de la rue augmentent.

RASKOLNIKOVA. – Tu as manqué ton coup, ce n'est pas malin. Tu as simplement manqué ton coup. (*Temps.*) On n'est pas plus mal là-bas qu'ailleurs. C'est pareil, absolument pareil. (*Temps. Autre ton.*) Je suis perdue. Tu es perdu. Nous sommes perdus. Rodion, perdus.

Rire de Porphyre.
Rodion arrive en haut des marches. Tout bas :

RODION. – « Ouvrez-moi, qu'attendez-vous, ne soyez pas ridicule, ouvrez-moi. » Je m'appelle Rodion Romanovitch Raskolnikov. « Tenez, mais pesez donc, c'est lourd, je vous l'avais dit, c'est de la bonne qualité. » Je viens faire une déclaration importante. Je désire voir le chef du bureau de police.

« Près de la fenêtre... C'est *mieux*... la lumière... la lumière vient de la fenêtre. »

Peut-on me donner une chaise, je désire m'asseoir, et, si possible, boire un verre d'eau.

« Mes mains tremblent... la fièvre... la fièvre... bien sûr je tremble... la fièvre. »

Je suis l'assassin d'une vieille femme, nommée Aliona Ivanovna.

« La lune. Vous oubliez la lune. » (*Lumière de la lune.*) Raskolnikov. Mon nom est Raskolnikov.

CET OUVRAGE A ÉTÉ COMPOSÉ ET ACHEVÉ
D'IMPRIMER LE TREIZE MARS DEUX MILLE UN
DANS LES ATELIERS DE NORMANDIE ROTO
IMPRESSION S.A. À LONRAI (61250)
N° D'ÉDITEUR : 3535
N° D'IMPRIMEUR : 003106

Dépôt légal : avril 2001

CET OUVRAGE A ÉTÉ COMPOSÉ ET ACHEVÉ
D'IMPRIMER LE TREIZE MARS DEUX MILLE UN
DANS LES ATELIERS DE NORMANDIE ROTO
IMPRESSION S.A. À LONRAI (61250)
N° D'ÉDITEUR : 3535
N° D'IMPRIMEUR : 003106

Dépôt légal : avril 2001